Le dindon de la farce

Pour Shelly, Lucille, Linda, Jessica et Wayne,
mes compagnes et mon compagnon de table préférés!
— S. M.

Pour Cam et Rosie, mes sources d'inspiration.
—J. P.

Catalogage avant publication de Bibliothèque et Archives Canada

Metzger, Steve
Le dindon de la farce / Steve Metzger;
illustrations de Jim Paillot;
texte français d'Hélène Rioux.

Traduction de : The great turkey race.
Pour les 4-6 ans.

ISBN 978-0-545-99878-9

I. Paillot, Jim II. Rioux, Hélène III. Titre.

PZ23.M487Dind 2007   j813'.54   C2007-903340-7

Édition publiée par les Éditions Scholastic,
604, rue King Ouest, Toronto (Ontario) M5V 1E1.

5 4 3 2 1   Imprimé au Canada   07 08 09 10 11

Le dindon de la farce

Steve Metzger
Illustrations de Jim Paillot

Texte français d'Hélène Rioux

Éditions
■SCHOLASTIC

Nous sommes à la ferme, par une journée frisquette d'automne.

Pendant une partie de cache-cache, Oscar le dindon surprend une conversation entre Catherine la fermière et Jo le fermier.

— Quelle dinde choisiras-tu pour la fête cette année? demande Catherine.

— Je ne sais pas encore, répond Jo. Mais cette dinde devra avoir de grandes qualités.

Oscar écarquille les yeux.

— Je dois la choisir bientôt, continue Jo le fermier. La fête approche à grands pas.

Au même moment, Wilfrid et Dorothée se précipitent vers Oscar.

— Nous t'avons trouvé! s'écrient-ils.

— Vous ne devinerez jamais ce que je viens d'entendre! dit Oscar. Jo le fermier est sur le point de choisir la dinde de la fête. Il dit que cette dinde doit avoir de grandes qualités.

— Ce sera moi, bien sûr! s'exclame Wilfrid. Je suis le plus sympathique!

— Non, c'est moi qu'il doit choisir! proteste Dorothée. Mes plumes sont les plus colorées.

—J'ai une idée! dit Oscar. Organisons un tournoi. Le gagnant de chacune des épreuves recevra une médaille.

— Comme ça, Jo le fermier saura qui d'entre nous choisir, ajoute Dorothée. Ce sera celui qui aura remporté le plus de médailles!

Les trois amis mettent au point le programme de la journée. Il y aura cinq épreuves : course à pied, lancer, danse, course d'obstacles et saut en hauteur.

Plus tard cet après-midi-là, les chèvres et les chevaux suspendent aux arbres les bannières et les drapeaux. Les canards s'occupent des rafraîchissements et les poules tricotent des chandails souvenirs.

Le lendemain matin, Raoul le coq lance son cocorico :

— Que les jeux commencent!

Dorothée s'élance vers la grange, suivie de près par Oscar et Wilfrid. Les autres animaux de la ferme sont déjà arrivés.

— La première épreuve est la course, annonce Raoul le coq. Oscar, Wilfrid et Dorothée se mettent en place.

— Un… deux… trois… Partez! crie Raoul.

Dorothée prend la tête, mais ralentit pour envoyer des baisers à ses amis. Oscar et Wilfrid la dépassent. Au moment où ils vont franchir la ligne d'arrivée, Wilfrid rabat le bandeau d'Oscar sur ses yeux.

— Je ne vois plus rien! se lamente Oscar.

Wilfrid gagne la course et Raoul lui remet la première médaille.

— Je suis le champion! s'égosille Wilfrid.

— Ce n'est pas juste, chuchote Oscar à Dorothée tandis que les cochons jouent « Il a gagné ses épaulettes ».

Au lancer du seau, Dorothée se classe première. Puis, Oscar gagne l'épreuve de danse en exécutant le mambo du dindonneau.

Il reste encore deux épreuves et les trois concurrents ont chacun une médaille.

— Je vais remporter les deux prochaines médailles, dit Wilfrid. Et je serai le dindon vedette de la fête.

— C'est ce que nous allons voir, monsieur le tricheur! rétorque Dorothée.

Une sonnerie de trompette se fait entendre.

— La course d'obstacles aura lieu dans 15 minutes, annonce Raoul.

Wilfrid et Oscar se dirigent en vitesse vers la mare des canards, mais Dorothée préfère se reposer dans le potager. Cachée parmi les citrouilles, elle voit passer Catherine et Jo le fermier.

— Les animaux sont bien agités aujourd'hui, dit Catherine. Surtout ces stupides dindons.

— Eh bien, répond Jo, l'un d'eux nous permettra de nous régaler la semaine prochaine, au souper de la fête.

Dorothée sursaute.

— Se régaler?! bredouille-t-elle. C'est donc ça qui arrive à la dinde de la fête! Je ferais mieux d'avertir Oscar, mais je ne dirai rien à ce tricheur de Wilfrid. Je suis trop fâchée contre lui.

Elle court vers la mare des canards.

— Tu ne dois plus remporter
de médailles, dit Dorothée à Oscar.
— Pourquoi?
— Parce qu'ils vont faire rôtir
la dinde de la fête!

— Oh! non! C'est terrible!
s'exclame Oscar. Il reste encore deux
épreuves. Qu'allons-nous faire?

— Laissons gagner Wilfrid, répond
Dorothée. Il en a tellement envie.

— C'est l'heure de la course d'obstacles! annonce Raoul. Vous devez partir de l'enclos des cochons et vous rendre jusqu'au tracteur. Le premier à grimper sur le siège sera le vainqueur.

— Allons-y, dit Wilfrid. J'ai tellement hâte de gagner!

— Un… deux… trois… Partez! crie Raoul.

Les trois dindons traversent l'enclos des cochons,

bondissent par-dessus les meules de foin,

traversent les cordes à linge,

et foncent vers le tracteur
de Jo le fermier.

— Hourra! clame Wilfrid! J'ai gagné! Encore une
médaille et je serai le grand vainqueur de la journée!

Dorothée et Oscar se regardent. Ils ont pitié de Wilfrid.

— S'il te plaît, Wilfrid, descends de ce tracteur, dit Dorothée. Nous avons quelque chose à te dire.

— Oui, oui, je sais, répond-il. Vous me trouvez formidable.

Dorothée raconte à Wilfrid ce qui attend la dinde de la fête.

— Quoi? En es-tu certaine? s'écrie Wilfrid. Je ne veux pas finir dans une assiette entre les pommes de terre et les petits pois. Tenez, prenez mes médailles.

— Calme-toi, Wilfrid, dit Oscar. Réfléchissons un instant.

Après quelques minutes, Dorothée annonce :

— Je sais ce que nous allons faire! Elle chuchote son idée à ses deux amis.

— Préparez-vous pour le saut en hauteur, la dernière épreuve, claironne Raoul. Le dindon qui aura sauté par-dessus l'objet le plus haut sera déclaré vainqueur.

Un seau à lait, puis une chaise
berçante, une meule de foin
et un plant de maïs :
Oscar, Wilfrid et Dorothée
réussissent tous leurs sauts.

—Je crois qu'ils sont à égalité, dit Raoul. Il ne reste plus d'obstacle à sauter.

—Je vois autre chose, dit Dorothée en indiquant la clôture qui entoure la ferme.

—Un… deux… trois… Partez! crie Raoul. Oscar, Wilfrid et Dorothée prennent leur élan. Ils sautent au même moment et franchissent la clôture de justesse.

— Revenez chercher vos médailles! hurle Raoul.

Mais les trois dindons continuent de courir… Et ils courent toujours!

Et au souper de la fête, Jo le fermier
et Catherine la fermière ont dû se régaler
d'un délicieux ragoût de légumes.